Michiel is niet zo stoer

www.leopold.nl

Burny Bos

Michiel

is niet zo stoer

Met illustraties van Harmen van Straaten

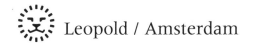
Leopold / Amsterdam

Tweede, herziene druk 2004
Copyright © Burny Bos 2004
Omslagtekening en illustraties Harmen van Straaten
Omslagontwerp Marjo Starink
Vormgeving Studio Cursief
NUR 272/281 / ISBN 90 258 4259 3

De eerste druk van dit boek verscheen in 1984 bij Oberon B.V. te Haarlem,
onder de titel *Een verlegen jongetje*, als een bundeling van de verhalen uit het
weekblad *Bobo*.

INHOUD

Michiel

De vader van Michiel is stoer.
Hij heeft haren op zijn borst. Om zijn arm draagt hij een
zware zilveren ketting. Zijn tanden zijn spierwit en achter
in zijn mond zit een gouden kies.
De vader van Michiel lacht veel. Hij houdt van lachen. En
van stoer doen.
'Kom op, jongen,' roept hij, 'we gaan lekker voetballen.'
Hij rommelt met de bal tussen zijn voeten. 'Kom op, boy.'
Vaak zegt hij 'boy' tegen Michiel. Dat is Engels. Het
betekent jongen.

Michiel heeft een stoere naam.
Hij is genoemd naar Michiel Adriaanszoon de Ruyter. Dat
is een beroemde man van vroeger. Toen Michiel er nog
niet was. En de vader en moeder van Michiel ook nog niet.
Die beroemde man was dapper en stoer.
Misschien hield hij ook wel van voetballen. Net als de
vader van Michiel.
Michiel houdt niet van voetballen. Hij vindt er niks aan.
'Wat heb je daar nou aan?' zegt hij. 'Achter zo'n bal aan
hollen, bah!'
Michiel speelt liever met zand. Of in een hoekje van zijn
kamer. Daar heeft hij een geheime plek, met allemaal
gekleurde stukjes glas.
Die stukjes glas heeft Michiel zelf gevonden. Onderweg
van huis naar school.

De moeder van Michiel is ook al stoer.
Ze zit op judo.
Als ze wil, kan ze zijn vader optillen.
Soms wil ze dat. Ze tilt vader hoog op en gooit hem met
een smak op bed.
Vader vindt het leuk. Hij lacht erbij en roept: 'Nog eens!'
Of hij zegt: 'Michiel, help me, kietel je moeder.'
Maar daar houdt Michiel ook al niet van. Hij vindt zulke
spelletjes veel te wild.

Ze wonen op de onderste galerij van een flat. Op nummer
16 wonen ze.
De vader en moeder van Michiel hebben een winkeltje.
Niet in de flat, hoor. De winkel is in het zwembad.
Dikwijls werken vader en moeder samen in de winkel.
Soms gaat Michiel met hen mee. Maar vaak blijft hij thuis.
Dan speelt hij alleen op zijn kamer. Of hij gaat naar Jetske.
Jetske woont op dezelfde galerij als Michiel. Zij woont op
nummer 24. Dat is maar vier deuren verder.
Jetske houdt ook niet van wilde spelletjes.
Michiel vindt het leuk om met Jetske te
spelen. Ze spelen dan bakkertje in de oranje
plastic zandbak. Of vader en moedertje.
Jetske heeft mooie poppen.
Michiel heeft niet één pop. Maar
soms mag er een bij hem logeren.
Dat is leuk! Vooral als het Suze is.
Suze kan echt plassen. Als je
water in Suze schenkt, komt het er
vanonder weer uit. Daar zit een gat.
Dat vindt Michiel leuk.
Maar Jetske vindt het ook leuk.
Daarom logeert Suze maar heel af en
toe bij Michiel.

Vandaag probeert Michiel stoer te doen.
Hij heeft de mouwen van zijn bloes opgerold. Met gebalde
vuisten staat hij voor Sjoerd.
Sjoerd woont ook al in de flat van Michiel. Maar niet op
dezelfde galerij, zoals Jetske. Sjoerd woont een verdieping
hoger. Op nummer 41.
Dan moet je eerst met de lift. Daarna moet je door de
klapdeur rechts. Het is een zware deur. Maar als je hard
trekt, lukt het. En dan ben je er.
Sjoerd wil altijd vechten. Nu ook weer.
Daarom staat Michiel met gebalde vuisten voor hem.
'Kom op dan, als je durft,' zegt Sjoerd.
Michiel durft wel. Maar leuk vindt hij het niet.
Hij probeert Sjoerd te slaan. Maar telkens slaat hij mis.
Sjoerd lacht hem uit.
'Slappeling,' zegt hij gemeen. Iedereen kan het horen.
'Slappeling, slappeling.'
Michiel wordt kwaad. Als een wild beest trapt en slaat hij
in het rond.
'Hou op!' schreeuwt hij. 'Hou daarmee op!'
Maar Sjoerd houdt niet op. Hij vindt het leuk als Michiel

zo kwaad is. Dan kan hij lekker terugmeppen.
Pats! Pats!
Michiel voelt dat zijn neus bloedt.
Met zijn hand wrijft hij erlangs.
Het rode bloed op zijn hand maakt
hem bang. Hij draait zich om,

zodat Sjoerd zijn tranen niet
ziet. Vlug holt hij naar huis.

Zijn moeder helpt hem. Ze propt een grote wat in zijn neus.
'Die stomme Sjoerd,' zegt Michiel huilend.
'Kalm maar,' zegt moeder. Maar ze zegt ook: 'Sla dan ook
eens terug.'
Michiel schudt zijn hoofd. 'Dat gaat niet,' zegt hij.
Verdrietig kijkt hij zijn moeder aan.
'Ik ga nooit meer met Sjoerd spelen,' zegt hij. 'Nooit meer.'
Hij loopt naar zijn eigen kamer en kruipt onder de tafel.
Daar is zijn geheime plek.
Michiel kijkt naar zijn verzameling glasscherven.
Eén voor één houdt hij ze tegen het licht.
Dat is pas leuk.
Maar stoer is het niet.

Een andere kamer

Het is woensdagmiddag.
Michiel zit aan de keukentafel. Hij eet een boterham.
Zijn vader Job zit tegenover hem.
Verder is er niemand.
Ze eten en praten met elkaar.
Michiel vertelt over zijn vriendinnetje.
'Jetske heeft zo'n mooie kamer,' zegt hij. 'Ze heeft wel veertig knuffelpoppen.'
Vader Job knikt. Zijn kaken bewegen heen en weer. Met een geluidje slikt hij z'n hap door.
'Jij hebt toch ook wel een geinige kamer?' vraagt hij.
Hij neemt weer een hap in zijn mond.
'Jawel,' zegt Michiel. 'Maar de kamer van Jetske is mooier.'
Vader Job haalt zijn schouders op.
'Dat is heel wat anders,' zegt hij. 'Jetske heeft een meiden-kamer. Dat is toch niks voor boys.'
Maar Michiel is het niet met zijn vader eens.
'Het is gewoon een leuke kamer,' zegt hij. 'Knuffelbeesten zijn veel liever om te zien dan voetballers. Ik vind die voetbalplaten stom.'
Zijn vader kijkt verbaasd. Hij wriemelt met een tandenstoker tussen zijn tanden.
'Je wou toch zelf die voetbalplaten?' zegt hij.
Hij staat op van zijn stoel en kijkt op zijn horloge.
'Ik moet naar de winkel,' zegt hij en hij gooit zijn tanden-stoker op zijn lege bord. 'Ruim jij deze handel even op?'
Michiel knikt.
'Heb je een sleutel?'

Michiel knikt weer. Hij laat de sleutel aan het koordje om zijn nek zien.

'Nou, tabé, hè,' zegt vader. 'Je moeder komt over een uurtje.'

Met een klap valt de deur achter hem dicht.

12 Vlug ruimt Michiel de tafel af. Hij zet de vuile borden op het aanrecht. Met een vaatdoekje wrijft hij de brood-kruimels van tafel. Zo. Dat is dat.

Hij loopt naar zijn kamer.

Het is geen grote kamer. Maar gelukkig past zijn bed er precies in.

Tegenover het bed staat een kast. En naast de kast staat zijn tafel. Met een stoel er recht voor.

Michiel kijkt zijn kamer rond. Ontevreden bekijkt hij de voetbalplaten aan de wand. Zijn hoofd schudt langzaam heen en weer.

'Nee,' zegt Michiel. 'Nee! Nee! Nee!'

Hij klimt op zijn bed. Eén voor één trekt hij de voetbalplaten van de muur. Ratsj! Ratsj! Ratsj!

Hèhè. Alle voetbalplaten zijn van de muur. Alleen aan een paar kleine plakbandjes kun je nog zien waar ze gezeten hebben. Mooi, denkt Michiel. Hij springt op de grond. Zo is het al een stuk mooier.

De bel gaat. Het is Jetske.

'Ik ben mijn kamer aan het veranderen,' zegt Michiel. Jetske loopt achter hem aan. 'Zal ik helpen?' vraagt ze.

'Goed,' zegt Michiel.

Wat zijn die twee druk bezig. Ze zoeken in oude tijdschriften naar mooie plaatjes. Plaatjes van leuke dingen. Van poppen en bloemen. Van poezen en honden. Voorzichtig knippen ze de plaatjes uit. En met lijm plakken ze ze op de muur vast.

De wand is vol. Tevreden kijken ze naar hun werk.
'Ik vind het zo wel geinig,' zegt Michiel.
Jetske knikt. 'Ik vind het mooi staan,' zegt ze.
Ze kijkt Michiel aan. 'Zullen we spelen?'
'Goed,' zegt Michiel. 'Met Suze hè? Dan spelen we vader en moedertje. En dan ben ik de moeder en jij de vader.'

14

'Dat kan toch niet,' zegt Jetske. 'Jij bent toch geen meisje. En meisjes horen altijd moeder te zijn. Dat moet.'
Michiel zucht. Jetske heeft gelijk. Meisjes zijn altijd moeder en jongens nooit. Hij vindt het niet leuk. Maar het is wel waar.
'Goed, dan ben ik wel de vader,' zegt hij. 'Maar ik ga niet naar mijn werk. Ik ben gewoon een vader die thuis is.'
Jetske vindt het goed. En vlug holt ze naar huis om Suze te halen. De pop die echt plassen kan.

Suze

'Hoi, hoi, hoi!' Michiel lacht blij. En hij geeft Jetske zomaar
een kus.
Jetske kijkt ook blij. Ze vindt het leuk dat
Michiel het zo leuk vindt.
Wat Michiel zo leuk vindt? Dat hij
Suze mag lenen natuurlijk! Suze, de
plaspop van Jetske.
Met de pop in zijn armen loopt hij langs
de galerij.
De deur van het huis staat nog open. Vader
Job komt net naar buiten.
'Moet je voetbal nog mee?' vraagt hij.
Michiel schudt zijn hoofd. 'Suze gaat al
mee,' zegt hij.
Vader kijkt verbaasd. 'Moet die maffe pop
mee?' vraagt hij.
'Ja,' zegt Michiel. 'En het is helemaal geen
maffe pop. Het is een leuke pop.'
Vader haalt zijn schouders op. 'Dat is toch niks voor een
flinke boy,' zegt hij.
Maar de moeder van Michiel vindt het wel goed.
'Laat dat ventje toch,' zegt ze. 'Dat is modern, zulke
dingen.'
'Zo lust ik er nog wel een,' zegt vader Job.
Maar wat hij nou lust, begrijpt Michiel niet.

Ze rijden in de auto. Michiel zit op de achterbank. Naast
hem zit Suze. En aan de andere kant zit Scoobidoo de boxer.

Nieuwsgierig probeert Scoobidoo aan Suze te ruiken. Maar Michiel duwt hem opzij.

'Nee, Scoobidoo. Dat mag niet.'

Gelukkig hoeven ze niet lang in de auto. Een klein uurtje maar, dan zijn ze al op de camping.

Ze gaan wel vaker naar de camping. Als vader en moeder niet hoeven te werken.

Op de camping staan allemaal caravans. Eén caravan is van hen. Die met die roze gordijntjes.

De caravan met de witte bloemetjesgordijnen is van oom Sjon en tante Beppie. Dat zijn geen echte oom en tante, hoor. Het zijn vrienden van de camping.

Oom Sjon heeft één gebroken voortand. En hij rookt zelfgemaakte sigaretjes. 's Ochtends hoor je hem hoesten. Door de dichte deur van de caravan heen.

Oom Sjon en tante Beppie hebben geen kinderen. Dat vinden ze jammer. Maar er is niks aan te doen. Daarom verwennen ze Michiel altijd.

'Hallo reus van me,' zegt oom Sjon. Hij geeft Michiel een klap op zijn schouder.

'Hiero.' En daar heeft Michiel al een grote rol drop te pakken.

Tante Beppie komt er ook aan. Ze heeft een streepjesbikini aan. Oom Sjon trekt aan het elastiek van haar broek. Vlug laat hij het weer schieten, zodat het op haar bil knalt.

'Hou op, Sjon,' zegt tante Beppie. Ze lacht. Ze geeft Michiel een kus. En een reep natuurlijk.

'Zo, die heeft weer genoeg van de bikkemans,' zegt oom
Sjon. Hij trekt een blikje bier open.
'Ook een pilsje, Job?' vraagt hij.
'Heel gaarne een reuzenpils,' zegt vader Job deftig.
Oom Sjon gooit een dicht blikje naar hem toe.
'Lekker,' zegt vader. 'Ik heb een zeer grote dorst.'

Het is gezellig. Vader en moeder kaarten met oom Sjon
en tante Beppie. Ze kaarten en lachen. En ze drinken
pilsjes.
Het is al bijna donker. Vader kijkt op zijn horloge.
'Is het geen tijd voor die kleine boy?' vraagt hij.
Moeder knikt. 'Waar is hij eigenlijk?' zegt ze.
Ze kijkt in de caravan. Maar daar is hij niet.
'Misschien ligt-ie in onze bak,' zegt tante Beppie. 'Ga eens
kijken, Sjon.'
'Ik vlieg reeds,' zegt oom Sjon.
Maar in de caravan van tante Beppie en oom Sjon is
Michiel ook al niet.
Vader kijkt de donkere camping rond.
'Michiel!' schreeuwt hij. 'Michiel!'
Iedereen begint nu toch een beetje zenuwachtig te
worden. Oom Sjon schreeuwt ook al. Zijn zware hoest-
stem schalt over de camping.
'MI-CHIEL.'
'Misschien zit hij op de wc,' zegt tante Beppie.
'De hele avond zeker,' zegt oom Sjon spottend.
'Nee, maar het kan toch.'
Moeder rent naar de toiletten.
Die zijn in een stenen gebouwtje. Daar kun je je ook
wassen. Er zijn wel twaalf wasbakken.
Vader was er ook al heen gelopen. En gelukkig: vader heeft
Michiel gevonden. Maar niet op de wc.
Michiel zit bij de wasbakken. Op de grond speelt hij met

Suze. Terwijl een meneer een stukje verderop zijn tanden
staat te poetsen.
'Wat doe jij daar nou?' vraagt vader.
'Ik speel met Suze,' zegt Michiel.
'Maar dat hoef je toch niet hier te doen?' vraagt vader.
'Jawel,' zegt Michiel. 'Dat moet. Omdat Suze een plaspop
is. En plaspoppen hebben water nodig.'
Eindelijk begrijpt vader het. Hij tilt Michiel op.
'Wat ben je toch ook een lekker eitje,' zegt hij.
En met Michiel op zijn rug loopt hij naar de caravan.

Het is feest

Vader Job is jarig. Een echte jarige Job dus. Daarom is het
feest.
Op het balkon van de flat brandt een klein vuurtje. Een
houtskoolvuurtje. Daar komt straks vlees op te liggen. Ze
gaan barbecuen.
In de kamer is het een gezellige drukte.
Er zijn wel tien mensen op bezoek. Opa en oma zijn er. En
oom Sjon en tante Beppie. En nog veel meer mensen.
Kinderen zijn er niet bij. Michiel is het enige kind. Maar hij
vindt het niet erg. Michiel is eraan gewend om alleen met
grote mensen te zijn.
Niet dat hij met ze gaat lachen en praten, hoor! Nee. Als er
zoveel mensen zijn, gaat hij op zijn kamer spelen. Nu ook.
Hij speelt met zijn geheime stukken gekleurd glas.
Die bewaart hij op een houten plankje onder zijn tafel.
Michiel pakt het grote rode stuk. Hij knijpt zijn linkeroog
stijf dicht en met zijn rechteroog tuurt hij door het glas.
Alles is nu rood geworden.
Met het rode glas voor zijn oog loopt Michiel door zijn
kamer.
Tot aan het aquarium.
In het aquarium woont Willem de goudvis.
Vroeger woonde Truus ook in het aquarium. Truus was
ook een goudvis. Maar nu is ze niks meer. Of misschien
nog een graatje. Truus is dood. Plotseling dreef ze
ondersteboven in het aquarium. Nou ja.
Willem ziet er knalrood uit. Dat komt door het rode glas.
Anders is hij oranje. Net als de meeste goudvissen.

Michiel pakt een ander stuk glas. Het is groen.
Nu is de kamer groen geworden. Maar Willem lijkt nu wel
zwart.
Mooi is dat met gekleurd glas. Net of alles niet echt is.

Oma is Michiels kamer binnengekomen.
Michiel heeft het niet gemerkt.
Maar nu ziet hij haar. Op de rand van zijn bed zit een
groene oma.
'Oma Hulk,' zegt Michiel. Hij lacht. 'Oma Hulk!'
Oma snapt er niks van.
'Het komt door het groene glas,' zegt Michiel. 'Dan zie je er
groen uit. Net als de Hulk.'
Oma knikt. 'O ja.'
Michiel legt het glas terug. Oma mag best weten waar zijn
geheime glasplek is. Zij zegt het toch tegen niemand.
Michiel is naast oma gaan zitten. Zo lekker dicht tegen
haar aan. Hij kijkt naar de tas op oma's schoot. Er zit een

grote gouden knip op de tas. De knip glimt en glanst.

'Zit er iets in je tas?' vraagt Michiel.

Oma vindt het niet erg dat Michiel dat vraagt. Er zit altijd wel iets lekkers in oma's tas.

'Jazeker,' zegt oma. Ze kijkt er ondeugend bij.

Ze knipt de tas open.

Nee, niet met een schaar natuurlijk. Kom nou. Met haar handen doet ze dat.

Knip, zegt de tas.

Nieuwsgierig kijkt Michiel erin.

'Wat is dat?' vraagt hij. Hij wijst op iets glimmends.

'Dat is lippenstift,' zegt oma. Ze pakt de lippenstift. 'Daar maak ik mijn lippen rood mee.'

Ze draait de dop van de lippenstift. Een knalrode punt komt tevoorschijn. Voorzichtig smeert oma langs haar lippen.

Het klopt. Haar lippen worden knalrood.

'Smaakt dat lekker?' vraagt Michiel.

'Proef maar,' zegt oma.
'Ja?' vraagt Michiel. 'Mag dat?'
'Van mij wel,' zegt oma.
Michiel tuit zijn lippen. En oma smeert er rode lippenstift op.
Met zijn tong proeft Michiel de lippenstift.

'Het smaakt naar niks,' zegt hij. Met zijn mouw wrijft hij langs zijn mond.
'Jongen toch,' zegt oma. 'Nu is je mouw rood geworden.'
Michiel schrikt.
'Geeft niet,' zegt oma vlug. 'Dat wassen we er wel weer uit.'
Ze pakt een rol drop uit haar tas.
'Hier, pak aan, omdat het feest is.'
'Lekker,' zegt Michiel. Hij heeft meteen al een dropje in zijn mond. Tevreden kijkt hij oma aan, terwijl zijn mond kleine smakjes maakt. Smak. Smak. Smak.
Plotseling springt hij op van het bed. Hij duikt onder zijn tafel.

Daar is hij alweer.

'Hier,' zegt Michiel. 'Dat is voor jou.'

Hij geeft oma een groot stuk rood glas.

'Daar lijkt alles rood door,' zegt hij.

Voorzichtig pakt oma het glas aan.

'Is dat niet scherp?' vraagt ze.

'Jawel,' zegt Michiel. 'Maar als je voorzichtig doet, gebeurt er niks.'

'Dank je wel,' zegt oma.

Ze kijkt door het glas. Dan knikt ze.

'Alles is rood geworden,' zegt oma.

Ze stopt de glasscherf in haar tas.

'Kom mee,' zegt ze dan. 'We gaan feestvieren.'

Samen lopen ze de kamer uit. Michiel met een rol drop. En oma met een glasscherf in haar tas. En allebei zijn ze blij. Net zo blij als de mensen in de kamer. Keihard hoor je ze zingen: '... en we gaan nog niet haar huis, nog lange niet, nog lange niet... En we gaan nog niet naar huis, want mijn moeder is niet thuis.'

Een balletje trappen

'Hé,' zegt vader Job. 'Hoe vind je 'm? Is-tie niet geinig en
sportief?' Hij wijst op zijn sportbroek.
Als een voetballer buigt hij een paar keer door zijn knieën.
'Kom op, boy, dan gaan we een balletje trappen.'
Michiel haalt zijn schouders op. Liever deed hij iets anders.
Maar toch loopt hij met vader mee.
Ze lopen naar het grasveld voor de flat. Daar zijn kinderen
aan het voetballen. Een paar vaders doen ook mee.
'Tatááá!' schreeuwt vader. Hij doet een trompet na.
'Tatatatááá. Hier komen de gebroeders Koeman, tatááá!'
Michiel weet wel wat vader daarmee bedoelt. Vader Job
doet net of zij beroemde voetballers zijn.
Ze mogen meedoen.

Vader Job rent al achter de bal aan. Hij schopt
de bal naar Michiel.
'Trappen, jongen,' roept hij.
Michiel probeert de bal te trappen. Maar
hij schopt in de lucht.
Bah, denkt hij, zie je wel dat ik niet
kan voetballen.
'Nog eens,' schreeuwt vader.
Michiel doet zijn best. Gelukkig schopt
hij nu raak. De bal rolt naar voren.
'Goed zo,' roept vader. Hij probeert
de bal in het doel te trappen.
Maar de keeper houdt
de bal tegen.
Vader Job lacht naar

Michiel. Hij steekt zijn duim in de lucht. 'Goed gedaan,
boy!'
Michiel heeft de bal alweer.
Maar nu gaat er iets mis. Een jongen botst tegen hem op.
En boem! daar valt Michiel op de grond.
'AU!'
Hij schrikt en schreeuwt. 'Au,
au, au!'
Michiel blijft op de
grond liggen. De tranen
rollen vanzelf over zijn
wangen, zo'n pijn doet
het.
Vader probeert hem overeind te
trekken. Maar Michiel wil het niet.
'Nee,' schreeuwt hij. Met een betraand gezicht kijkt hij
vader aan. 'Het doet zo'n pijn...'
Vader weet niet wat hij moet doen. Hij staat maar zo'n
beetje naar Michiel te kijken.
'Kom op,' zegt hij tenslotte.
Maar Michiel wil niet meer.
'Ik wil naar huis,' zegt Michiel.

Thuis krijgt hij een glas limonade. En een zoute puntdrop.
Maar het helpt niet. De pijn gaat maar niet over.
Moeder kijkt Michiel bezorgd aan.
'Hij ziet ook zo pips,' zegt ze. 'Ik zou maar even met hem
naar het ziekenhuis gaan.'
'Naar het ziekenhuis?' vraagt vader Job.
'Ja,' zegt moeder. 'Waar anders heen? Naar de dierenarts?
Misschien is zijn arm wel gebroken.'
Michiel kijkt naar zijn arm. De arm is nog heel recht.
Hij schudt zijn hoofd.
'Mijn arm is heus niet gebroken,' zegt hij.

Maar moeder denkt van wel.
'Een klein beetje gebroken,' zegt ze.

Ze zijn in het ziekenhuis.
Rustig wachten ze tot ze aan de beurt zijn.
Er komt een verpleegster aan.

'Komt u maar mee,' zegt ze vriendelijk. 'Dan gaan we eerst
een foto maken.'
Vader knikt. 'Okido,' zegt hij. 'Kom je, Michiel?'
Ze lopen achter de zuster aan.
Waarom moeten ze nou een foto maken? denkt Michiel.
Het lijkt wel of de zuster zijn gedachten raadt.
'We gaan een foto van je arm maken,' zegt ze. 'Een heel bij-
zondere foto. Op die foto kun je de binnenkant van je arm
zien.'
Michiel schrikt. 'Moet mijn arm dan open worden ge-
maakt?' vraagt hij.
De zuster lacht. 'Nee hoor,' zegt ze. 'Daar hebben we een
apparaat voor.'

De foto is klaar. Het is geen gewone foto. Het is een foto
waar je dwars doorheen kunt kijken.
De dokter kijkt naar de foto. Ze knikt.
'Een scheurtje,' zegt ze. 'Er zit een klein scheurtje in je
arm. Kijk maar.'
Ze wijst op de foto.
Michiel ziet niks bijzonders. Maar vader Job knikt.
'Inderdaad,' zegt hij.
'Is dat erg?' vraagt Michiel.
'Nee,' zegt de dokter. 'Het is niet erg, maar wel lastig.'
Ze maakt een wit papje klaar.
'Je arm moet in het gips,' zegt ze.

Dat is een cool gezicht. Michiel heeft een wit-stenen arm.
Om zijn arm zit keihard wit spul. Gips heet het, maar het
lijkt op steen. Hoe hard je ook op het gips duwt, hij voelt
het niet.
Vader Job kijkt naar de arm. Hij steekt zijn vinger in de
lucht.
'Daar moet mijn handtekening op,' zegt vader.   27
Moeder knikt. 'De mijne ook,' zegt ze.
Met viltstift zetten ze hun handtekening op Michiel zijn
gipsen arm.
Job, schrijft vader Job met zwierige letters.
En moeder schrijft: *Ineke*.
Michiel vindt het wel leuk. Trots als een pauw loopt hij
over de galerij. Hij heeft een viltstift in zijn hand. En
iedereen die hij tegenkomt mag een handtekening zetten.
Alleen Sjoerd niet.
Want Sjoerd is een rotjongetje, vindt Michiel.

Een geverfde arm

Het is lastig, zo'n gipsen arm. Vooral met spelen.
Michiel zelf vindt het niet zo erg lastig meer. Hij is er al aan
gewend.
Maar de moeder van Michiel vindt het lastig.
Zij heeft zijn jack stuk moeten knippen. Niet helemaal,
gelukkig. Eén mouw maar. En in die ene mouw heeft ze
een rits gezet. Een lange rits. Zo kan Michiel zijn jack
makkelijker aantrekken.
Bij twee bloesjes heeft ze iets anders gedaan. Met een grote
schaar heeft ze er een mouw afgeknipt. Gelukkig zijn het
oude bloesjes.
'Je nieuwe bloesjes moeten maar even in de kast blijven
hangen,' zegt moeder. 'Ik vind het zonde om die stuk te
knippen.'
Michiel sputtert wat tegen. 'Ik vind die oude bloesjes zo
stom,' zegt hij.
'Ja, hoor eens,' zegt moeder. 'Ik ga geen nieuwe spullen
stuk knippen. Kom nou. Het geld groeit me niet op de rug.'
En dat is ook zo. Op de rug van Michiels moeder groeit
niks.

Michiel speelt buiten. Hij speelt met Jetske.
Ze spelen aan de rand van het grote grasveld. Daar waar de
bosjes beginnen.
Het grasveld is nat. En de aarde tussen de bosjes is ook nat.
Dat komt door de regen.
Maar nu regent het niet meer. De zon schijnt zelfs af en
toe.

Michiel heeft het er warm van gekregen. Hij heeft zijn jack uitgedaan. Het jack hangt aan een tak. Zo wordt het niet vuil.

Ze spelen bakkertje.

Van de natte aarde maken Michiel en Jetske taartjes. Dat doen ze om de beurt. Als de een bakker is, is de ander klant.

Michiel is nu de bakker. En Jetske de klant.

Ze loopt een beetje rond.

'Kan ik al komen?' vraagt de klant.

'Nog even wachten,' zegt de bakker. 'Ik ben bijna klaar.'

Hij is bezig met een grote taart.

Met kleine steentjes versiert hij de randen van de taart. En in het midden steekt hij een veertje.

29

'Hèhè.' De bakker zucht. De taart is klaar.
'Kom maar,' roept hij.
De klant komt aanlopen.
'Tingeling.' Jetske doet de winkelbel na.
'Goedemiddag, bakker,' zegt ze.
Michiel glimlacht vriendelijk.

'Dag mevrouw. Wat wilt u hebben?'
Maar de klant wil eerst nog een praatje maken.
'Wat een weertje, hè?' zegt ze.
De bakker knikt. 'Wat zal het zijn?' vraagt hij.
De klant kijkt de winkel rond. Ze ziet de kleine
modderkoekjes en de krentenbollen.
'Zijn die vers?' vraagt ze.
'Jazeker,' zegt de bakker. 'Ze zijn nog warm.'
De klant voelt aan de modderkrentenbol.
'Hum,' zegt ze. 'Ze voelen ijskoud, maar ja.'
Ze ziet de grote taart.
'Dat is een mooie taa-' Plotseling houdt Jetske haar mond.
Ze wijst naar Michiels gipsen arm.
'Je arm is helemaal zwart.'
Michiel kijkt naar zijn arm.
De gipsen arm zit onder de
modder. Zo erg dat je de
handtekeningen bijna niet
meer kunt lezen.
Michiel schrikt ervan. Hij
probeert zijn arm schoon te
wrijven. Maar zijn hand zit ook
al onder de modder.
Nou ja. Nu is er toch niks meer
aan te doen.

Het is weer gaan regenen.

Michiel en Jetske zijn naar huis gegaan.

Michiel staat in de kamer. Zijn vader zit op de bank de
krant te lezen.

'Zo, ouwe lobbes,' zegt vader. 'Heb je lekker gespeeld?'

'Mijn arm is vuil geworden,' zegt Michiel. 'Hij zit onder de
modder.'

Vader Job kijkt naar de arm. 'Zeg dat wel,' zegt hij.

Hij wenkt met zijn hoofd. 'Kom op, boy. Die arm zullen wij
eens keurig schoonmaken.'

Het lukt niet. Wat vader ook doet. Hoe hij ook sopt en
boent, de arm blijft zwart.

Vader Job zucht. Maar dan heeft hij een idee.

Hij loopt naar de rommelkast. Uit de
rommelkast pakt hij een pot met verf. Het
is paarse muurverf.

'Kom maar eens hier,' zegt vader.

Met een schroevendraaier wipt hij het
deksel van de verfbus. 'Kom maar. Dan
schilderen wij jouw arm als nieuw.'

De arm is klaar.

Maar Michiel vindt het niet mooi.

'Ik wil geen paarse arm,' zegt hij.

'Ach,' zegt vader. 'Ik vind het net zo geinig staan.'

Michiel schudt zijn hoofd. 'Een gebroken arm hoort wit,'
zegt hij.

'Ik heb geen wit,' zegt vader. 'Ik heb alleen maar paars.'

'Toch wil ik een witte arm,' zegt Michiel. Hij zegt het
zeurderig.

Moeder komt thuis. Ze ziet de paarse arm van Michiel.

'Wat heb jij nou?' vraagt ze.

'Ik heb de arm geverfd,' zegt vader. 'Dat ding zat onder de
modder.'

'Een paarse arm.' Moeder schudt haar hoofd. 'Dat is toch geen gezicht. Hebben we geen wit?'
'Nee,' moppert vader Job. 'Ik heb alleen paars.'
Moeder vindt het echt niks.
'Hè toe, Job,' zegt ze. 'Haal even een potje witsel.'
'Moet dat echt?' vraagt vader Job.
'Tuurlijk,' zegt moeder.
Vader trekt zijn jas aan.
Tevreden kijkt Michiel hem na.
Straks zal zijn arm weer wit zijn.
Zo wit als een vers gebroken arm.

In het ziekenhuis

Er is iets vervelends gebeurd.
Oom Sjon is plotseling ziek geworden. Tante Beppie
vertelde het door de telefoon.
Met een ernstig gezicht stond moeder te luisteren. Het
was een lang gesprek. Zo lang dat de aardappels waren
aangebrand.
Maar gelukkig had niemand trek. Ze zaten een beetje
stilletjes aan tafel.
'Tja,' zei vader Job. 'Zo ben je gezond en zo lig je, eh... op
je rug in het ziekenhuis.'
'Hij hoestte ook altijd zo,' vond moeder.
En Michiel vond dat ook. Oom Sjon hoestte zo hard, dat de
caravan ervan schudde.

Nu gaat het iets beter met oom Sjon.
Met z'n vieren gaan ze op bezoek.
Tante Beppie loopt voorop. Zij weet precies waar ze
moeten zijn.
'Eerst met de lift,' zegt tante Beppie.
Ze stappen de grote lift binnen. Oom Sjon ligt op de
twaalfde verdieping.
'Heeft Sjon daar geen last van de wolken?' vraagt vader.
'Als de wolken laag hangen, zie je Sjon niet eens.'
'Hou op, Job,' zegt moeder. 'Nu geen grapjes.'
Ze zijn er. Achter elkaar stappen ze uit de lift.
Ze staan in een lange witte gang. Voorzichtig duwt tante
Beppie een brede deur open. Ze kijkt om het hoekje.
Oom Sjon ligt al te wachten.

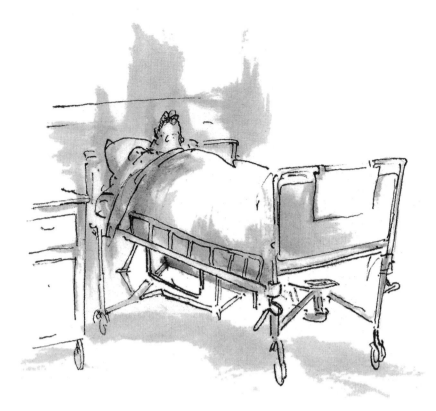

'Treed binnen,' zegt hij deftig.

Hij ziet Michiel.

'Zo, oude zeebonk,' zegt oom Sjon. 'Heb je er nog een paar laten zinken?'

Michiel begrijpt niet wat oom Sjon bedoelt.

Maar de anderen moeten erom lachen. Omdat oom Sjon zo vrolijk is natuurlijk.

'Hoe gaat het met je?' vraagt moeder. Ze kijkt oom Sjon bezorgd aan.

'Ik voel me als een koning,' lacht oom Sjon.

'Echt?' vraagt vader.

'Jazeker,' zegt oom Sjon. 'Het gaat goed met me.' Hij zegt het ernstig.

Er stapt een verpleegster binnen. 'Wilt u thee, meneer Sjon?' vraagt ze.

Oom Sjon wijst naar haar.

'Je ziet wat ik bedoel,' zegt hij. 'Ik word verwend als een koning.'

Hij knipoogt naar de verpleegster. 'Geeft u me voor de verandering maar eens een dikke pils.'

De zuster schudt haar hoofd. 'Dat verkopen we niet,' zegt ze. 'Thee of nee?'

'Graag thee,' zegt oom Sjon vlug. Hij haalt zijn schouders op. 'Geintje,' zegt hij.

Michiel verveelt zich. Die grote mensen praten en praten maar.

'Zijn hier ook baby's?' vraagt hij plotseling.

Oom Sjon moet erom lachen.

'Op de tiende,' zegt hij. 'Als je op de gang staat, hoor je ze blèren.'

Michiel kijkt zijn moeder aan.

'Mag ik even bij de baby's kijken?' vraagt hij.

'Moet dat nou?' vraagt moeder. 'We zijn nu toch op bezoek.'

'Ik neem hem wel even mee,' zegt tante Beppie. 'Dan kunnen jullie nog wat kletsen. Ik kom vanavond toch weer.'

Ze is al opgestaan. 'Kom je, Michiel?'

Ze gaan met de trap naar de tiende verdieping.

Allemensen, wat liggen daar een hoop baby's!

Michiel telt er wel tien.

'Ik wil best thuis een baby hebben,' zegt hij. 'Dat lijkt me leuk. Een geinig broertje of zusje.'

Hij kijkt tante Beppie vragend aan. 'Wil jij geen baby?'
vraagt hij.
'Jawel,' zegt tante Beppie. 'Jawel, hoor. Al heel lang. Maar
het gaat niet.'
Michiel snapt het niet.
'Iedereen krijgt toch baby's,' zegt hij.

'Bijna iedereen,' zegt tante Beppie. 'Bij sommige mensen
lukt dat niet.'
'Je moet er wel voor vrijen, hoor,' zegt Michiel.
Tante Beppie aait hem over zijn hoofd.
'Geloof me maar,' zegt ze. 'Sommige mensen kunnen
vrijen wat ze willen. Maar een bàby krijgen ze nooit.'
'Gek,' zegt Michiel. 'Ik vind het gek en oneerlijk.'
Tante Beppie geeft Michiel een hand.
'Kom op,' zegt ze. 'Dan gaan we nog even naar oom Sjon.'
Hand in hand lopen ze terug naar de lift.
En even later zitten ze weer bij oom Sjon. De zieke oom
Sjon die alleen maar wil lachen.

Een indianenpak

Michiel heeft een cadeau gekregen.
Omdat zijn arm weer beter is.
Het is een indianenpak met echte veren.
Ook de muts is van veren gemaakt.
Michiel kijkt in de spiegel. Hij vindt het
wel een mooi pak.
'Nu moet je nog rode strepen op je
gezicht,' zegt moeder. 'Met rode strepen
word je een echte indiaan.'
Ze pakt een lippenstift uit haar tasje.
Voorzichtig tekent ze schuine strepen
op Michiels wangen. Op iedere wang
drie strepen.
'Zo,' zegt moeder. 'Dag lieve kleine
indiaan van me. Hoe heet je?'
Michiel kijkt zijn moeder verbaasd aan.
'Dat weet je toch wel,' zegt hij.
'Ja,' lacht moeder, 'natuurlijk weet ik hoe je heet. Ik
bedoel je indianennaam. Indianen hebben altijd hele
mooie namen. Kleine Beer, of Vliegend Wolkendek.'
Michiel schudt zijn hoofd. 'Ik blijf maar gewoon Michiel,'
zegt hij.
Vader Job komt eraan.
'Uf oegh!' zegt hij.
Hij pakt de lippenstift uit moeders hand. En snel zet hij ook
rode strepen op zijn gezicht.
'Uf oegh!'
Michiel wordt een beetje bang voor vader.

Moeder ziet het.

'Hou op, Job,' zegt ze. 'Jij bent geen indiaan. Jij bent een paard, hè Michiel?'

Michiel haalt zijn schouders op.

Vader zit al op handen en voeten voor hem.

'Hinnik, hinnik,' doet hij.

Maar op een echt paard lijkt het niet.

Michiel zit op vaders rug.

'Hort sik,' zegt hij.

Vader kruipt door de slaapkamer. Eerst langzaam, maar dan vlugger en vlugger. Michiel moet zich stevig vasthouden.

Vader Job hobbelt de kamer uit, de gang in.

Plotseling blijft hij stilstaan. Hij snuift met zijn neus in de lucht.

'Ik ruik cowboys,' zegt hij.

Michiel ruikt niks.

'Een koffiecowboy ruik ik,' zegt vader. 'Hou je vast. We gaan eropaf.'

En daar gaan ze weer.

Tot in de keuken.

'Zo,' zegt vader Job.

'Nu eerst een bakkie.'

Hij gaat rechtop staan.

'Ik moet er nog af,' roept Michiel angstig.

'Laat je maar vallen,' zegt vader. 'Het is niet hoog.'

Voorzichtig laat Michiel zich zakken.
Vader kijkt hem aan.
'Wil jij een kopje vuurwater?' Hij houdt een jeneverfles
voor de neus van Michiel. 'Lekker vuurwater, hmmm.'
'Hou op,' zegt moeder. 'Toe Job, zet die fles weg.'
Vader haalt zijn schouders op. 'Geintje,' zegt hij.
Hij stoot moeder aan. 'Hemmeme nog koek?'

Vader Job spreekt de woorden expres verkeerd uit.
'Hemmeme nog koek of hemmeme geen koek meer?'
Hij kijkt in de koektrommel.
'Aha,' zegt hij. 'Mehemme nog koek.'
Moeder krijgt de slappe lach omdat vader zo gek praat. En
omdat hij van die rode strepen op zijn gezicht heeft. Ze
doet vader na.
'Hemmeme nog veel?' vraagt ze.
'Ja zeker,' zegt vader. 'Mehemme nog zeer veel koek.'
Hij kijkt er ernstig bij. Net of hij iets belangrijks zegt.
Maar moeder lacht alleen maar. De zwarte randjes onder
haar ogen maken strepen op haar gezicht. Zo leuk vindt
ze het.
Michiel begrijpt niet goed wat er nou zo leuk is. Al klinkt
het wel grappig.

De bel gaat.
'Ik doe wel open,' zegt Michiel.
Hij rent naar de voordeur.
Er is een meneer. De meneer kijkt vriendelijk.
'Dag, kleine indiaan,' zegt de meneer. 'Dat is een mooi
pak.'
'Ik heb het gekregen,' zegt Michiel. 'Omdat mijn gebroken
arm niet meer gebroken is.'
'Jaja,' zegt de meneer. 'Is je vader of moeder ook thuis?'
Michiel knikt. 'Allebei,' zegt hij.
Vader is al naar de deur gelopen. Hij knikt de meneer toe.

De meneer kijkt met een verbaasd gezicht naar vader.
'Mijn naam is De Groot,' zegt hij. 'Belastingen. Mag ik
even binnenkomen?'
Het lijkt of vader schrikt.
'Komt u verder,' zegt hij.
'Hemmeme bezoek?' roept moeder uit de keuken.
Maar als ze vader ziet, stopt ze met lachen.
'Belastingen,' fluistert vader.
Moeder lijkt ook al bleek te worden.
'Wilt u een kopje koffie?' vraagt ze vriendelijk.
'Heel graag,' zegt de meneer. Hij legt zijn hoed op de

keukentafel. Met een lacherig gezicht gaat hij aan de tafel
zitten.
'Met twee schepjes suiker graag,' zegt hij ook nog.
Michiel snapt er niks van.
'Wat zijn belastingen?' vraagt hij.
De meneer lacht vriendelijk. 'Dat zijn centjes die papa en
mama moeten betalen. Daar kom ik over praten.'

'Voor wie zijn die centjes dan?' vraagt Michiel.
'Voor de koningin,' zegt de meneer.
Michiel knikt.
'Leuk,' zegt hij.
Dan loopt hij de kamer uit. Om
even in de spiegel te kijken.

Bijna sinterklaas

Het is bijna sinterklaasavond. Nog maar een paar nachtjes slapen. Dan is het zover.
Toch is het nu ook al leuk, vindt Michiel. Omdat hij zijn schoen mag zetten.
Eenzaam staat zijn schoen bij de radiator. Er zit een briefje in. Op het briefje staat een tekening. Een tekening van een plaspop. Zo'n pop wil Michiel graag hebben.
'Het is misschien wel een te groot cadeau voor in je schoen,' zegt moeder. 'Meestal doet Sinterklaas kleine cadeautjes in de schoenen. Anders zou het te duur worden, hè?'
Michiel knikt. Hij weet het wel.
'Toch probeer ik het,' zegt hij.
Vragend kijkt hij naar moeder. 'Hebben we nog wortels?'
'Ik denk het wel,' zegt moeder. 'Kijk maar in de koelkast.'
Michiel holt naar de keuken.
Hij doet de deur van de koelkast open. In de groentela ligt een dikke winterwortel.
Mooi zo, denkt Michiel. Hij wast de wortel onder de kraan.
'Een bak water moet er ook bij,' mompelt hij.
Hij laat de afwasbak vol water lopen.
Met twee handen probeert Michiel de bak te tillen. Maar de bak is zo zwaar!
Michiel zucht en puft, maar hij krijgt de bak niet omhoog.
Moeder helpt hem. Ze zucht ook al.
'Moet dat nou echt?' vraagt ze.
'Het is voor het paard,' zegt Michiel. 'Paarden hebben altijd dorst.'
'Je hebt gelijk,' zegt moeder.

Alles staat klaar.

De wortel steekt uit de schoen.

En de bak met water staat ernaast.

Vader Job komt de kamer binnen.

'Hé,' zegt moeder. 'Waar was jij?'

'Och,' zegt vader slaperig. 'Ik heb even een klusje in de slaapkamer gedaan.' Hij geeuwt.

'Jaja,' zegt moeder. 'Het was zeker een heel rustig klusje.'

'Ja.' Vader lacht. 'Ik kon mijn ogen erbij dichtdoen.'

Michiel lacht ook. Hij weet wat vader bedoelt. Vader Job heeft een dutje gedaan. Dat doet hij heel vaak na het eten.

Vader wijst naar de schoen van Michiel.

'Mogen we onze schoen zetten?' vraagt hij.

Hij knoopt de veter van zijn hoge sportschoen los.

'Jij toch niet,' zegt Michiel.

'Waarom niet?' vraagt vader.

'Sinterklaas is toch alleen voor kinderen.'
'O no, boy,' zegt vader Job. 'O no!'
Ze zitten op de grond bij de radiator. Samen zingen ze een liedje. Michiel kijkt er ernstig bij. Maar vader lacht maar wat.
'Sinterklaas is jarig,' zingt Michiel.

'Zet hem op de pot,' schreeuwt vader. 'O wat zal die stinken, doe de deur op slot.'
Michiel kijkt geschrokken naar zijn vader.
'Dat moet je niet doen,' zegt hij. 'Dan wordt Sinterklaas kwaad. Dan krijg je niks in je schoen.'
Moeder vindt het ook stom.
'Laat Michiel maar alleen zingen,' zegt ze.
'Oké,' zegt vader.
Hij kijkt Michiel aan. 'Geintje,' zegt hij.
'Ja, maar wel een verkeerd geintje,' zegt moeder.

Het is ochtend. Vader en moeder slapen nog. Maar Michiel is al wakker.
Op zijn tenen loopt hij naar zijn schoen.
Uit zijn schoen steekt een pak.
En onder vaders schoen ligt ook een pak. Een groot pak.
Het pak is zo groot dat het niet in de schoen past.
Michiel denkt na. Zal hij vader wakker maken? Vader wil natuurlijk ook weten wat voor cadeau hij heeft gekregen.
Michiel loopt naar de slaapkamer.
'Pap, pap, wakker worden!'
'Hè, wat?' zegt vader van onder de dekens.
'Je schoen,' zegt Michiel. 'Er ligt een cadeau onder je schoen.'
'Mooi zo,' zegt vader geeuwend. 'Haal jij het maar even.'
'Goed,' zegt Michiel.
Hij holt weer naar de kamer. Maar na twee tellen is hij alweer terug.

'Pap. Hier.'
Vaders gekreukelde gezicht
komt tevoorschijn.
'Goed gedaan, boy,' zegt
hij.
Michiel maakt zijn eigen
pak open. Het is geen
plaspop. Jammer. Het is een
speculaaspop. Die zijn ook
leuk.
Vader maakt zijn pak ook open.
'Hèhè,' zegt hij.
'Wat is het?' vraagt Michiel.
'Vier rollen wc-papier,' zegt vader
sip. Hij houdt het pak omhoog.
'Er zit ook een briefje bij,' zegt Michiel.
Vader leest voor.
'Voor Job
met zijn domme kop
omdat hij geintjes grappig vindt
hier een geintje van de Sint.'

Michiel vindt het wel een goeie grap van Sinterklaas.
En de moeder van Michiel ook. Proestend van het lachen
komt ze onder de dekens vandaan.
'Geintje,' zegt ze.

Winkeltje spelen

Het is koud buiten.
Maar in de hal van de flat is het niet zo koud. Je kunt er
niet zonder jas, maar echt koud is het niet.
Michiel en Jetske spelen in de hal.
Ze hebben een kleed op de grond gelegd.
Op dat kleed liggen allemaal spullen.
Oude puzzels liggen er. En kapotte autootjes. Maar ook
babyspeelgoed. En plaatjesboeken.
Michiel en Jetske hebben een speelgoedwinkel gemaakt.
Daar kun je speelgoed kopen.
Geen nieuw speelgoed, hoor. Oud speelgoed. Waar ze zelf
niet meer mee willen spelen.
Het is geen dure winkel. Alle dingen kosten 20 cent.
Dat kun je op de briefjes lezen. Bij elk stuk speelgoed ligt
een briefje. En op ieder briefje staat: 20 cent.

Michiel en Jetske zitten op een klein krukje achter het
kleed.
En dat is grappig: allebei hebben ze een pop op schoot.
Jetske heeft Suze op schoot, haar plaspop.
En hoe heet de pop van Michiel?
De pop van Michiel heet Chantal. Michiel heeft de naam
zelf uitgekozen. Chantal. Dat vindt hij een mooie naam.
Michiel heeft de pop van Sinterklaas gekregen.
Chantal kan ook plassen. Net als Suze.
Maar Chantal kan nog iets.
Chantal kan zingen.
Dan moet je op een knopje op haar buik drukken.

'Slaap kindje slaap,' zingt Chantal dan.
Een mevrouw loopt de hal binnen.
'Brrr,' zegt ze, 'wat is het koud.'
Ze ziet het winkeltje.
'O,' zegt ze lachend, 'dat is leuk.'
Michiel knikt.
'We verkopen spullen,' zegt hij. 'Geinige spullen voor jong en oud.'
'O,' zegt de mevrouw.
'Het zijn leuke spullen, hoor,' zegt Jetske.
De mevrouw gaat op haar hurken zitten. Ze zoekt een puzzel uit.
'Wil je deze voor mij inpakken?' vraagt ze.
Michiel schudt zijn hoofd.
'We hebben geen inpakpapier,' zegt hij. 'We verkopen alleen spullen.'
'Dan pak ik hem thuis zelf wel in,' zegt de mevrouw.

Het gaat goed met de winkel. Ze hebben al veel verkocht.
Maar nog steeds komen er nieuwe mensen langs.
Nu staat er een meneer voor de winkel. Hij heeft een kind
op zijn arm. Kees heet dat kind.
Kees is bijna drie. Hij woont ook in de flat van Michiel.
'Zo,' zegt de meneer. 'Dat ziet er goed uit. Zullen we iets

kopen, Kees?'

'Kopen?' zegt Kees. Hij wijst met zijn
kleine handje. 'Papa kopen.'
De meneer lacht. En Jetske en Michiel
lachen ook. Zo'n klein ventje.
De meneer heeft Kees op de
grond gezet.
Kees wil alles optillen. Maar hij
doet het wel een beetje wild.
Bijna alle spullen vallen om.
'Hoho, Kees,' zegt de meneer. 'Pas
op.'
'Pas op,' zegt Kees. 'Pas op, pas op.'
Maar dan ziet hij iets moois. Kees ziet
Chantal.
Hij loopt naar de plaspop.
'Papa kopen,' zegt hij. 'Papa kopen.'
Met twee handen graait hij naar de pop.
Michiel schudt zijn hoofd. Hij houdt zijn pop stevig vast.
'Nee,' zegt hij. 'Deze pop is net nieuw, die kun je niet ko-
pen.'
Maar Kees wil het toch. Hij schreeuwt en tiert. Dikke
tranen rollen uit zijn ogen.
De meneer heeft Kees weer opgetild.
'Hou op, Kees,' zegt hij. 'Die pop is van dat jongetje.'
'Hij heet Michiel,' zegt Jetske.
'Ja,' zegt de meneer. 'Precies.'
Maar Kees krijst maar door.

Michiel weet niet zo goed wat hij moet
doen. Ongelukkig kijkt hij naar Jetske.
Jetske is opgestaan van haar krukje.
Met Suze in haar armen loopt ze
naar Kees.
'Hier,' zegt ze. 'Hou mijn pop
maar even vast.'   49
Maar Kees wil Suze niet. Hij duwt
de pop weg.
'Nee, nee, nee,' huilt Kees.
'Dan niet,' zegt Jetske.
De meneer is met Kees in de lift
gestapt. Ze zijn al op de derde
verdieping. Maar nog steeds kun je
Kees horen schreeuwen.
'Papa kopen! Papa kopen!'
Michiel vindt het niet leuk om te horen. Maar hij begrijpt
het wel. Chantal is ook zo'n mooie pop. Die wil iedereen
wel hebben.

Een kerstboom

Vader Job is kwaad. Druk pratend loopt hij door de kamer.
'Twintig euro voor zo'n boompie,' moppert vader. 'Dat kan
toch niet. Wie kan d'r nog zo'n boom betalen?'
Michiel kijkt bezorgd: 'Krijgen we geen kerstboom?'
Moeder bemoeit zich ermee.
'Natuurlijk wel,' zegt ze. 'Vader is een beetje in de war, hè,
Job?' Ze lacht vader Job een beetje uit.
'O nee,' zegt vader. 'Vandaag heb ik geen tijd voor geintjes.
Er kómt een kerstboom. Laat dat maar aan mij over. Maar
niet een van twintig euro.'
Hij pakt zijn jas. 'Wacht maar af.'
Scoobidoo de boxer springt tegen vader op. Hij wil graag
uit.
Vader Job maakt Scoobidoos halsband vast. Hij geeft
Michiel een zetje.
'Kom op, boy. We gaan een kerstboom halen. Een
goedkope kerstboom.'
Moeder kijkt hoofdschuddend naar vader. 'Praatjesmaker,'
zegt ze. 'Kletskop.'
Met z'n drieën stappen ze in de lift. Vader, Michiel en
Scoobidoo.
Vader drukt op de knop.
Michiel kijkt ernaar.
'Je drukt op de verkeerde knop,' zegt hij. 'Je moet op...'
'O no,' zegt vader. 'Zeker weten van niet.' Hij lacht erbij.
'We gaan eerst naar de kelder,' zegt hij.
'Wat moeten we daar dan?' vraagt Michiel.
'Och,' zegt vader Job. 'Even rondkijken.'

Hij knipoogt naar Michiel. Dan fluistert hij iets in Michiels oor.

'Wat? We hebben toch geen bijl nodig?'

'Ssst,' zegt vader. 'Toetje toe. Horen, zien en zwijgen.'

'Waf,' blaft Scoobidoo. Het lijkt wel of hij begrijpt wat vader bedoelt.

Ze lopen in het park. Scoobidoo mag loslopen. Hij holt en springt.

Michiel kijkt zijn vader aan.

'Hier verkopen ze toch geen kerstbomen,' zegt hij.

'Ssst,' zegt vader weer. Hij loopt de bosjes in. 'Kom mee,' fluistert hij. 'Dan laat ik je iets zien.'

Vader blijft stilstaan bij een kerstboom.

Het is een echte, levende boom.

'Wat dacht je hiervan?' vraagt vader. 'Is dit een kerstboom of niet?'

Michiel knikt. 'Jawel,' zegt hij. 'Maar hij leeft nog.'

'Ja, hèhè,' zegt vader. 'Alle kerstbomen leven. Tot ze
worden omgehakt.'
Michiel schudt zijn hoofd. Nu begrijpt hij waarom vader
een bijl heeft meegenomen.
'Dat mag toch niet?' zegt hij. 'Je mag toch niet een boom
omhakken!'
'Dat is waar,' zegt vader. 'Het mag niet, maar we doen het
toch. Hahaha.'
Vader begint te hakken. Tot de boom omvalt.
'Zo,' zegt vader. 'Dat is dat.'
Hij tilt de boom op.
'Het is een mooi boompie. En lekker goedkoop. Kom op,
dan gaan we naar huis.'
Hij fluit op zijn vingers. 'Scoobidoo! Komen!'
'Halt.'
Ze staan nog maar net op het pad of een stem zegt: 'Halt.'

Het is een agent.
De agent kijkt streng.
Michiel verstopt zich achter zijn vader.
Maar de agent is niet boos op Michiel.
De agent is boos op vader.
'Och,' zegt vader Job. 'Eén zo'n boompje.'
Maar de agent blijft boos.

53

'Ik moet u een bekeuring geven,' zegt hij.
Uit zijn borstzak pakt hij een opschrijfboekje. In het boekje
schrijft hij vaders naam en adres.
'Dat zal wel een flinke boete worden,' zegt de agent. 'zo'n
vijftig euro, denk ik.'
Hij bergt het boekje weer op.
'En deze boom gaat mee naar het bureau. Goedemiddag.'
Vader kijkt Michiel aan.
'Pech,' zegt vader.
Dan sjokken ze naar huis.
Alleen Scoobidoo holt alsof er niks gebeurd is.

'En?' vraagt moeder als ze thuiskomen. 'Hebben jullie een
boom?'
'We hadden er een,' zegt vader. 'Hè Michiel?'
Lachend vertelt vader wat er gebeurd is.
Maar moeder vindt het geen leuk verhaal. Ze is er zelfs
boos om.
'Wat ben je toch ook een ei,' zegt ze tegen vader. 'Wat bén
je toch een ei.'
Dan pakt zij haar jas van de kapstok.
'Ga je mee, Michiel? We gaan een
boom kopen. De duurste die we
kunnen vinden.'
Ze steekt haar tong uit naar vader.
En voor de derde keer zegt ze: 'EI!'

Een ongelukje

Het is gezellig. De gekleurde lampjes in de kerstboom branden.

Michiel wil de echte kaarsen op tafel aansteken. Maar moeder vindt dat hij moet wachten.

'Eerst even de krulspelden uit mijn haar halen,' zegt ze.

Wat ziet alles er feestelijk uit!

Moeder met haar gekrulde haren, en die mooie blote jurk die ze aan heeft.

Vader Job ziet er ook al zo deftig uit. Hij draagt een roze pak. Met een knalrode stropdas.

En Michiel? Michiel heeft een witte bloes aan. Met kanten randjes. En een zwart-fluwelen broek. Heel deftig.

'Nu gaan we voorzichtig de kaarsen aansteken,' zegt moeder.

Michiel helpt mee.

'Voorzichtig hoor,' zegt moeder. 'Je moet de lucifers van je af strijken.' Michiel weet precies wat hij moet doen.

'Goed zo,' zegt moeder.

Alle kaarsen branden. Voor ieder bord staat er een.

De messen en vorken glimmen ervan. En de wijnglazen ook al.

'Daar zul je ze hebben,' zegt vader als de bel gaat.

En ja hoor, even later stappen oom Sjon en tante Beppie de kamer binnen.

Michiel ruikt tante Beppies parfum. En hij hoort oom Sjons harde lach.

'Gezellige mensen,' roept oom Sjon. 'Hartelijk kerstfeest!'

Iedereen is blij dat oom Sjon niet meer ziek is. Dat hij weer vrolijke grapjes kan maken.

Ze zitten aan tafel. Alle vijf: oom Sjon, tante Beppie, vader, moeder en Michiel.

Vijf?

Ze zitten met z'n zessen aan tafel! Want naast Michiel zit Chantal. Chantal de plaspop.

Midden op tafel staat een koperen pan. De pan staat op een vuurtje. In de pan zit olie. Hete olie.

Ze eten vleesfondue. Met lekkere sausjes. De sausjes zitten in glazen bakjes. Die staan ook op tafel.

Michiel prikt een stukje vlees aan zijn vork. Het is een vork met een houten handvat. Dan brand je je hand niet.

Voorzichtig laat hij de vork in de hete olie zakken. Het spettert en spat een beetje. Maar gelukkig niet erg.

Het is een gebabbel en gelach...

Vader Job trekt alweer een fles wijn open: Plop!

En Michiel heeft al drie glazen cola op.

'Zo,' zegt oom Sjon. 'Dat smaakt.' Hij maakt snelle smakgeluidjes met zijn lippen. 'Mag ik nog wat van dat rode daar?' Hij wijst op de tomatensaus.

Moeder geeft het glazen bakje aan oom Sjon. 'Alsjeblieft.'

Maar dan gebeurt er iets vreselijks.

Het bakje glijdt uit de hand van oom Sjon. Het stuitert op zijn bord en knalt tegen het behang.

Omgekeerd komt het bakje op de grond terecht. Maar dat is niet zo erg. Het ergste is dat de saus alle kanten op vliegt.

Flatsj! Een grote kwak op vaders roze pak.

Flatsj, flatsj! Twee vlekken op het tafelkleed.

FLATSJ! Een reuzenvlek op Chantal. Niet alleen op haar jurk, maar ook op haar hoofd.

Iedereen doet heel zenuwachtig.

Alleen moeder blijft kalm.

'Oppassen,' roept ze. 'Denk aan de hete olie. Dit ongelukje is niet zo erg.'

Maar oom Sjon vindt het wel erg.

'Sorry,' zegt hij. 'Dat bakkie was een beetje glad.'

'Maakt niet uit,' zegt moeder.

Michiel bekijkt Chantal. Haar hele hoofd zit onder de saus. En haar jurk ook. Hij vindt het niet leuk.

Langzaam beginnen zijn ogen te glimmen. Natter en natter worden ze, en dan stromen de tranen. Zonder ophouden. 'Hou op, boy,' zegt vader Job, 'Zometeen loop je nog leeg.' Maar het gaat niet. Michiel kan niet ophouden. De tranen rollen maar door. Alsof hij er niets over te zeggen heeft. Dat komt natuurlijk door die drie glazen cola. Als je zoveel gedronken hebt, loop je niet zo gauw leeg.

57

Alles is weer een beetje schoon. Ook Chantal. Ze heeft een servet om, zodat je de vlek op haar jurk niet ziet.

Vader wil in zijn ondergoed verder eten. In zijn hemd en onderbroek zit hij aan tafel.

'Ik vind het wel geinig staan,' zegt hij.

Oom Sjon moet er keihard om lachen.

'Ik bescheur me,' zegt hij.

'Hahahaha.' Bijna stoot hij een fles wijn om.

'Hou op,' zegt moeder lacherig.

En tante Beppie slaat op haar buik van plezier. 'Gekke Job.'

Zo is het toch nog gezellig. Ondanks het ongeluk.

Een boodschap

Vader Job heeft zijn jas aan. Hij heeft zijn hand op de
deurknop. Aan zijn pink bengelen zijn autosleutels.
'Kun je die boodschap even doen, boy?' vraagt hij. 'De
portemonnee ligt op tafel.'
'Wat moet ik ook alweer halen?' vraag Michiel.
'Hondenbrokken,' zegt vader. 'Een zak hondenbrokken.'
'O ja.' Michiel weet het weer. En het lijkt wel of Scoobidoo
het ook weet. Zijn kleine staartje kwispelt heen en weer.
'Tabé dan,' zegt vader. 'Tot straks.'
'Tot straks,' zegt Michiel.
Hij aait Scoobidoo over zijn rug.
'Rustig, Scoobi. Straks haalt het baasje de brokken.'

Het is zover. Nu staat Michiel in de deuropening.
Hij praat tegen Scoobidoo.
'Baasje komt zo terug,' zegt hij.
Scoobidoo wil wel mee.
Maar dat mag niet van Michiel. Hij duwt Scoobidoo terug
de kamer in.
'Tot zo,' zegt hij.
De supermarkt is niet ver. Maar een klein stukje lopen,
dan ben je er al.
Michiel loopt de winkel binnen. Hij pakt een kar. Het is
een moeilijke kar. De kar wil telkens de andere kant uit
rijden. Michiel duwt keihard.
Hèhè, eindelijk gaat het goed.
Bij de hondenbrokjes stopt hij.
Michiel weet precies welke hij moet hebben. Het is een gele

zak. Op de zak staat een hond geschilderd. Een herders-
hond. Maar boxers lusten de brokjes ook. Scoobidoo ten-
minste wel.
Michiel staat bij de kassa. Hij tilt de zak met brokken uit de
kar.

'Dat is dan drie euro vijftig,' zegt de
mevrouw aan de kassa.
Michiel zoekt in zijn zak. Hij wil de
portemonnee pakken.
Maar de portemonnee zit niet in zijn
zak. Niet in zijn jaszak. En ook niet in
zijn broekzak.
Plotseling weet Michiel het. Hij schrikt.
Zijn gezicht krijgt een knalrode kleur.
Hij kijkt de mevrouw aan.
'Ik heb de portemonnee op tafel laten
liggen,' zegt Michiel. Hij zegt het
zachtjes.
Gelukkig heeft de mevrouw het
verstaan. Ze zet de zak naast
zich op de grond.

'Haal 'm maar even,' zegt ze vriendelijk.

'Goed,' zegt Michiel.

Vlug loopt hij de winkel uit. Zo vlug dat de mevrouw zijn tranen niet ziet.

Michiel is weer terug bij de flat.

Zijn tranen zijn al opgedroogd.

Hij pakt de sleutel die aan het koordje om zijn nek hangt.

Hij steekt de sleutel in het slot.

'Waf,' blaft Scoobidoo van achter de deur. 'Waf, waf.'

Scoobidoo heeft natuurlijk allang geroken dat Michiel er weer is. Misschien denkt Scoobidoo wel aan die lekkere brokjes. De brokjes die bij de mevrouw van de kassa staan.

Michiel wriemelt aan het slot. Hè, waarom gaat die deur nou niet open? Hij rukt en trekt.

Maar het lukt niet. De sleutel draait wel, maar het slot springt niet open.

'Schiet op, deur,' schreeuwt Michiel. Hij schopt tegen de deur. Niet uit kwaadheid, hoor. Om de deur te helpen doet hij dat.

Maar de deur blijft dicht.

Michiel huilt alweer. En Scoobidoo jankt aan de andere kant van de deur. Wat een pechdag.

Er komt een meisje aan.

Michiel ziet al wie dat is. Het is Jetske.

Vlug wrijft hij zijn wangen droog.

'Kom je mee spelen?' vraagt Jetske.

Maar Michiel schudt van nee.

'Ik moet een boodschap halen,' zegt hij. 'Maar ik krijg de deur niet open.'

Jetske wil wel helpen. Samen draaien ze en duwen ze.

Klik. Eindelijk springt de deur open. Ze vallen bijna het huis binnen. Over een kwispelende hond die blaft: 'Waf, waf.'

De boodschap is betaald. De gele zak met brokjes staat in
de keuken. De zak is opengescheurd.
Maar waar staat het etensbakje van Scoobidoo?
In de keuken staat het niet.
In de kamer misschien?
Ja! De etensbak van Scoobidoo staat op tafel.
En Scoobidoo zit op een stoel.
Jetske en Michiel spelen dat Scoobidoo hun kind is.
'Dooreten,' zegt Jetske.
'Niet zo knoeien,' zegt Michiel.
Maar Scoobidoo doet allebei. Dooreten en knoeien. Het is
ook nog zo'n jong kind.

Het wak

Michiel logeert bij opa en oma. Al drie nachten. En hij vindt het nog steeds leuk.

De eerste twee nachten waren vader en moeder er ook. Maar die zijn naar huis gegaan.

Nu logeert Michiel er alleen.

Opa en oma zijn heel aardig. Misschien zijn ze wel té aardig. Ze verwennen Michiel. Iedere dag krijgt hij chips. Wanneer hij maar wil. Zelfs vlak voor het eten krijgt hij ze nog.

'Het blijven aardappels,' zegt oma, 'al heten ze chips. En aardappels zijn gezond.'

Michiel vindt het best. Hij vindt chips heerlijk. Vooral paprikachips.

Opa en oma wonen buiten. In een klein dorp.

Er is maar één straat in het dorp. Die straat heet Hoofdstraat. Dat is dus makkelijk.

Opa en oma wonen op nummer 7.

Het is geen groot huis waar ze in wonen.

Het is een klein huis met een grote tuin. Overal is tuin. Voor, opzij en achter het huis. Maar de tuin achter het huis is het grootst.

Aan het eind van de tuin loopt een sloot. Een brede sloot. De sloot is ook diep. Zo diep als het diepe in het zwembad. In de sloot ligt een bootje. Dat bootje is van opa.

Michiel mag niet alleen naar de sloot gaan. Dat is veel te gevaarlijk. Zo'n diepe sloot is gevaarlijk.

Maar vandaag mag Michiel wel alleen naar de sloot. Hij mag zelfs alleen in de roeiboot! En het is niet gevaarlijk. Dat komt doordat de sloot bevroren is...

Er ligt een dikke laag ijs op de sloot. Al stamp je er keihard
op, je hoort niks. Geen kraakje.
Je kunt er makkelijk op lopen. En schaatsen kan ook. Als
je schaatsen leuk vindt.
Michiel houdt niet van schaatsen. Hij zit liever in de boot.
Daar speelt hij aardige zeerover. Dat is een zeerover die
niks doet. Die alleen maar speelt.
Of hij kijkt naar de schaatsers die voorbij stuiven. Zoefff!
Wat gaan ze hard!

Opa komt eraan. Hij heeft een bijl in zijn hand. En een
stok waar een plankje aan vastzit.
Er staat iets op geschreven. Maar Michiel kan het niet
lezen.
'Zo, oude zeerover,' zegt opa.
Michiel kijkt naar de scherpe bijl van opa.
'Wat ga je doen?' vraagt hij bezorgd.
'Ik ga een gat in het ijs hakken,' zegt opa.
'Een gat in het ijs?' vraagt Michiel. 'Waarom?'
Opa legt het uit.

'Het gat is voor de eenden,' zegt hij. 'Dan kunnen ze een beetje rondzwemmen.'

Niet ver van de boot begint opa te hakken.

Michiel vindt het wel leuk voor de eenden. Maar voor de mensen vindt hij het niet leuk. En voor zichzelf ook niet. Nu mag hij nooit meer alleen naar de sloot natuurlijk.

'Dat is toch gevaarlijk,' roept Michiel.

'Nee hoor,' zegt opa. 'Het is helemaal niet gevaarlijk voor de eenden. En de sloot is van de eenden.'

'Voor de mensen, bedoel ik,' zegt Michiel ongeduldig.

'Ja,' zegt opa. 'Voor de mensen die niet uitkijken wel.'

Er stoppen een paar schaatsers. Ze kijken opa boos aan.

'Waar is dat nou goed voor?' vraagt een meneer met een ijssnor. Hij wijst op het gat.

'Een klein gaatje,' zegt opa. 'Ik hak een gaatje voor de eenden.'

Meneer ijssnor vindt het niet leuk.

'Straks schaatst er iemand in,' zegt hij.

'Dat is dan stom,' zegt opa.

Hij stopt even met hakken.

'Er blijft genoeg plaats over om te schaatsen,' zegt hij. 'Maak je maar geen zorgen. En trouwens...'

Opa laat de stok met het bord zien.

'... er komt een bord bij te staan.'

'Dan is het goed,' zegt de ijssnor. Hij schaatst er weer vandoor. En de andere schaatsers volgen hem.

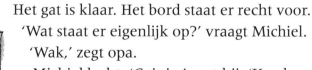

Het gat is klaar. Het bord staat er recht voor.

'Wat staat er eigenlijk op?' vraagt Michiel.

'Wak,' zegt opa.

Michiel lacht. 'Geinig,' zegt hij. 'Kwak. Dat is zeker eendentaal.'

'Nee,' zegt opa. 'Wak! Dat is mensentaal. Het betekent: gat.'

Michiel snapt het niet.
'Waarom zet je er dan niet *gat* op?' vraagt hij.
'Omdat een gat in het ijs een wak heet,' zegt opa.
'Wak! Wak! Wak!'

Ze zitten in de roeiboot, opa en Michiel.
Maar ze spelen geen zeerovertje. En ze kijken ook niet
naar de schaatsers.
Opa en Michiel kijken naar de eenden in het wak.
Michiel probeert de eenden te tellen. Maar het zijn er te
veel.
De eenden zijn blij met het wak. Ze kwetteren en kwaken.
En het lijkt net of ze roepen: 'Kwak kwak kwak, wat een
lekker wak!'

Dag Michiel

Het is glad op straat. Zo glad dat je makkelijk uitglijdt. Maar oma en Michiel glijden niet uit. Ze houden elkaar stevig vast. Voorzichtig lopen ze over de gladde straat. Ze zijn op weg naar de bakker. Daar gaan ze iets lekkers kopen. Iets lekkers om bij de koffie op te smikkelen. En brood gaan ze ook kopen. Brood voor tussen de middag. Ze staan in de bakkerswinkel.

Michiel vindt het lekker ruiken. En alles ziet er ook zo lekker uit.

De gebakjes staan in een koelkast. Een bijzondere koelkast met een deur van glas. Dan kun je ze goed zien staan. Michiel bekijkt de gebakjes.

Welke zal hij kiezen? De vruchtengebakjes? Of de moorkoppen?

Michiel heeft het liefst de moorkoppen. Die zien er zo mooi uit. Met die grote klodder slagroom op de zoete chocola.

'Opa vindt moorkoppen ook lekker, hè?' vraagt Michiel.

'Ja hoor,' zegt oma.

'En vind jij ze ook lekker, oma?'

Oma lacht een beetje.

'Het is niet zo goed voor mijn slanke lijn,' zegt ze.

Ze wrijft met haar hand over haar buik. 'Maar nou ja.'

Oma vindt zichzelf te dik. Maar Michiel vindt dat niet. Hij vindt oma precies goed.

'Geef maar zes moorkoppen,' zegt oma.

De verkoopster pakt een kartonnen doos. Ze schuift de glazen koelkastdeur opzij. En voorzichtig zet ze de moorkoppen in de doos.

'En een heel bruin,' zegt oma. 'Gesneden graag.'

De verkoopster knikt.

Ze duwt het bruine brood in de snijmachine. Dat zijn heel handige machines. Die snijden in één keer het brood in wel twintig boterhammen. Daar hoef je zelf niks voor te doen.

De verkoopster doet het gesneden brood in een zak.

'Alsjeblieft,' zegt ze. Ze geeft de zak aan Michiel. 'Die kun jij wel dragen, hè?'

'Ja hoor,' zegt Michiel. 'Ik ben heus niet zo slap als een baby.'

'Het is mijn sterke kleinzoon,' zegt oma trots.

Ze lopen weer op straat.

Oma draagt de doos met gebak en Michiel de zak met brood.

Voetje voor voetje schuifelen ze naar huis.

Ze zijn er bijna. Alles is goed gegaan.

Maar oei! Wat gebeurt er nou?

Michiel let even niet goed op. Bijna glijdt hij onderuit.

Hij probeert oma beet te pakken, zodat hij niet valt.

Oei, oei, oei. Dat had hij beter niet kunnen doen!

Oma schrikt van de wilde bewegingen die Michiel maakt.

En daar begint ze te glijden.

'Help,' gilt oma.

Maar niemand kan haar meer helpen. Met een plof valt ze op haar iets te dikke bibs.

En de doos met slagroomgebakjes?

Die ligt omgekeerd op haar schoot.

Maar het deksel is nog dicht.

Door het raam heeft opa alles gezien. Hij komt het huis uit hollen.

Gelukkig glijdt opa niet onderuit.

Met zijn sterke armen tilt hij oma overeind.

Oma heeft de doos met gebak weer omgekeerd. Maar ze durft er niet in te kijken.

Ze geeft de doos aan opa en wrijft over haar rug.
'Heb je je pijn gedaan?' vraagt Michiel.
'Gaat wel,' zegt oma. En voorzichtig schuifelt ze het huis
binnen.

Met z'n vijven zitten ze aan tafel. Opa, oma, vader Job,
moeder Ineke en Michiel. Op de tafel staat de doos met zes

gebakjes.
Oma maakt de doos open.
Alle gebakjes liggen door elkaar!
Opa moet erom lachen.
'Moorkoppenprut,' zegt hij. 'Hmmmm. Lekker!'
'Ze smaken hetzelfde,' zegt oma.
Een voor een legt ze de gebakjes op een schoteltje.
Michiel telt de gebakjes. En de mensen telt hij ook.
'Er zijn zes gebakjes. Maar er zijn maar vijf mensen.'
'En een hond,' zegt oma. Ze wijst naar Scoobidoo.
Oma zet de doos met het zesde gebakje op de grond.
Michiel vindt het wel een beetje gek, een gebakje voor een
hond. Maar Scoobidoo niet. Scoobidoo vindt het heerlijk.
Hij kwijlt ervan.

Het logeren is voorbij.
Michiel gaat weer mee naar huis. Naar de
flat. Naar zijn eigen kamer met de geheime
glasscherven. En naar Jetske, zijn
vriendinnetje.
Opa en oma zwaaien hem uit.
'Dag,' roepen ze. 'Tot ziens.'
Nou, dat doen wij dan ook maar.
Dag Michiel! Nog veel plezier in de flat. En
de groeten aan oom Sjon en tante Beppie.
Dáág!

Van dezelfde auteur:

Knofje

Knofje heet eigenlijk
Jacqueline, maar niemand
noemt haar zo.
In dit boek zit ze eerst nog
op de kleuterschool, maar
na de zomervakantie gaat
ze naar de grote school.
Knofje maakt altijd
van alles mee.
Meestal heel gewone
dingen, zoals bij oma
logeren en winkelen in het warenhuis.
Maar bij Knofje worden ze dikwijls veel spannender!
Dat komt doordat ze erg nieuwsgierig is, en nogal eens
wegloopt.
Knofje houdt veel van dieren, maar een klein zusje is nóg
leuker.
En... dat krijgt ze!

Vrolijke voorleesverhalen voor kleuters, uitgezonden in
KRO's *Kindertijd*.
Ook verkrijgbaar op video en DVD.

Lees ook van Uitgeverij Leopold:

Vakantie!

Vakantie is leuk!
Behalve als je je verveelt.
Vraag dan of iemand je
een vakantieverhaal wil
voorlezen…
In dit boek staan er een
heleboel.
En als je niemand kunt
vinden die dat wil, dan
ga je gewoon zelf de
platen bekijken.

Een boek vol verhalen, gedichten en tekeningen in vier
kleuren, van verschillende schrijvers en tekenaars.